小熊的守護天使

文／鄭如安・陳玟如　圖／陳珏汝

傳說中
　　每個人都會有一個守護天使伴著他長大

　　　相　信　　只要 被瞭解 被關心 被陪伴
　　　　　　　　每位面對生命轉折的 大朋友小朋友
　　　　　　　　都可以創造出 生命新的意義

　　感　動
　　　曾經與我一起工作的大朋友與小朋友們
　　　你們勇於面對生命轉折的過程
　　　是創造生命「新的意義」的最佳見證

　　　祝　願　　你我都可以成為別人的守護天使
　　　　　　　　讓傳說不只是一個傳說

　　你我都會看到
　草地上的小花、小草開了；
　　石頭邊的小樹重新露出新芽，森林裡變得更熱鬧了～

關於本書

　　當我們應用遊戲治療、藝術治療，致力於八八風災兒童的心理創傷復建過程中，《小熊的守護天使》是我們在兒童工作初期階段常用的媒材，我們真實感受到《小熊的守護天使》對這些受創兒童的心理復健，的確有正向的幫助。

　　我們再一次出版《小熊的守護天使》，是因為我們想見證這群風災受創的兒童，是很有生命力的孩子，我們看到了他們的勇敢與堅強，我們也相信本書同樣可以運用在所有的兒童身上。

　　我們想告訴所有辛苦成長的兒童們，或許很多曾經陪伴過你們的大人，隨著你們的生活逐步安定、心情逐漸平靜，已經不再固定見面了。但相信這些大人們，都仍然惦記著大家，因為他們願意成為你們的「守護天使」。

　　感謝「陪著你玩」遊戲治療團隊在本書編輯過程中，給予的寶貴意見與精神鼓勵！

　　最後願意將此書分享給所有與兒童工作的「守護天使」。

祝願大家都平安！

人物介紹

我是阿美，
我最得意我的
捲毛髮型了！

我是小花，
頭上的花花髮夾，
是媽媽送我的禮物！

我是小力，
我最靈巧，
我會爬樹喔！

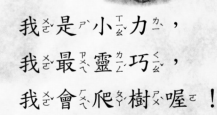

我是阿咪，
我的皮膚健康又紅潤。

4

長老是
森林小熊們的
守護天使。

我是小威，
我愛看書，
還會說故事呢！

森林裡住著快樂的小熊家族。
那是一個漂亮的園地。

森林中有翠綠的山林，
有清澈的溪水，
有甜美的果樹，
還有可愛的森林小動物……

有ㄧㄡˇ一ㄧ天ㄊㄧㄢ，森ㄙㄣ林ㄌㄧㄣˊ裡ㄌㄧˇ颳ㄍㄨㄚ起ㄑㄧˇ了ㄌㄜ˙狂ㄎㄨㄤˊ風ㄈㄥ暴ㄅㄠˋ雨ㄩˇ，
雨ㄩˇ愈ㄩˋ下ㄒㄧㄚˋ愈ㄩˋ大ㄉㄚˋ、愈ㄩˋ下ㄒㄧㄚˋ愈ㄩˋ大ㄉㄚˋ，
風ㄈㄥ也ㄧㄝˇ不ㄅㄨˋ停ㄊㄧㄥˊ地ㄉㄜ˙颳ㄍㄨㄚ、不ㄅㄨˋ停ㄊㄧㄥˊ地ㄉㄜ˙颳ㄍㄨㄚ。

眼看著山上的土、山上的水、
山上的石頭，直往森林衝……

泥水、土石就要淹沒家園，
小熊家族的長老知道事情不妙，
為了保護大家的安全，
決定帶著小熊們逃離森林。

離開了熟悉的森林，
小熊們擔心、害怕，
甚至煩惱找不到地方住！

歷經了好長一段時間的辛苦，
小熊們才安頓了下來。

身ㄕㄣ心ㄒㄧㄣ疲ㄆㄧ憊ㄅㄟ的ㄉㄜ小ㄒㄧㄠ熊ㄒㄩㄥ們ㄇㄣ聚ㄐㄩ在ㄗㄞ一ㄧ起ㄑㄧ。

阿咪說：「晚上我常睡不著，
有時會做惡夢，所以，我都不敢
一個人睡覺。」
小力說：「我會一直去玩、去鬧，
讓自己不要靜下來，因為我不想
再想起這些可怕的事情……」

阿美紅著眼，也說：「我怕
聽到下大雨的聲音，或是東
西掉落的聲音……，這讓我
嚇得不得了，好怕山上的土
石又會崩落下來。」

「我ㄨㄛˇ會ㄏㄨㄟˋ莫ㄇㄛˋ名ㄇㄧㄥˊ其ㄑㄧˊ妙ㄇㄧㄠˋ的ㄉㄜ˙難ㄋㄢˊ過ㄍㄨㄛˋ、傷ㄕㄤ心ㄒㄧㄣ！」
小ㄒㄧㄠˇ威ㄨㄟ邊ㄅㄧㄢ掉ㄉㄧㄠˋ眼ㄧㄢˇ淚ㄌㄟˋ邊ㄅㄧㄢ說ㄕㄨㄛ。

「我ㄨㄛˇ常ㄔㄤˊ想ㄒㄧㄤˇ起ㄑㄧˇ那ㄋㄚˋ天ㄊㄧㄢ可ㄎㄜˇ怕ㄆㄚˋ的ㄉㄜ˙景ㄐㄧㄥˇ象ㄒㄧㄤˋ……」
小ㄒㄧㄠˇ花ㄏㄨㄚ露ㄌㄡˋ出ㄔㄨ驚ㄐㄧㄥ恐ㄎㄨㄥˇ的ㄉㄜ˙眼ㄧㄢˇ神ㄕㄣˊ述ㄕㄨˋ說ㄕㄨㄛ著ㄓㄜ˙。

聽完大家的心情，
長老關心的看著大家，
並說：「大風大雨破壞了家園，
的確讓我們害怕又傷心！」
「我也和你們一樣，傷心、憤怒、
逃避、緊張……其實這些反應
都是正常的！」

18

長老陪伴小熊們做他們喜歡的事……
長老知道阿咪喜歡畫畫，
所以，他陪著阿咪把心情畫出來。
阿咪把他的害怕和惡夢畫出來。

21

長老知道小力喜歡玩遊戲，
所以，他陪著小力玩遊戲
也表達心情。

小力用布當作颱風
吹過來吹過去，
小力用力地吹、用力地吹。

23

長老知道小威喜歡聽故事、說故事，
所以，他陪小威讀故事，也聽小威說故事。

聽故事、說故事，
讓小威覺得很有趣，
他開始自由自在地玩，
想玩什麼就玩什麼！
一邊玩，還一邊編起故事來了。

長老知道阿美
喜歡演戲，
所以，他跟阿美
用布偶演戲。

26

阿ㄚ美ㄇㄟ演ㄧㄢ了ㄌㄜ《三ㄙㄢ隻ㄓ小ㄒㄧㄠ豬ㄓㄨ》的ㄉㄜ故ㄍㄨ事ㄕ，
阿ㄚ美ㄇㄟ說ㄕㄨㄛ前ㄑㄧㄢ兩ㄌㄧㄤ隻ㄓ小ㄒㄧㄠ豬ㄓㄨ的ㄉㄜ房ㄈㄤ子ㄗ被ㄅㄟ風ㄈㄥ吹ㄔㄨㄟ走ㄗㄡ了ㄌㄜ，
但ㄉㄢ，最ㄗㄨㄟ後ㄏㄡ三ㄙㄢ隻ㄓ小ㄒㄧㄠ豬ㄓㄨ都ㄉㄡ住ㄓㄨ在ㄗㄞ一ㄧ間ㄐㄧㄢ
堅ㄐㄧㄢ固ㄍㄨ的ㄉㄜ房ㄈㄤ屋ㄨ中ㄓㄨㄥ，他ㄊㄚ們ㄇㄣ不ㄅㄨ再ㄗㄞ怕ㄆㄚ颱ㄊㄞ風ㄈㄥ了ㄌㄜ。

小花沒有特別想做什麼，所以，
長老就專心的陪著小花。

後來，小花抱著娃娃躲在娃娃屋中。
小花說這是一個有翅膀、有輪子的娃娃屋，
這是一個隨時可以飛、可以跑，
還可潛在水中的娃娃屋。

躲進娃娃屋，小花和娃娃就不必擔心颱風，
也不害怕下雨了。

小熊們畫圖、玩玩具、
演戲、講故事……
他們又跟從前一樣，
臉上也開始有了笑容！

草ㄘㄠˇ地ㄉㄧˋ上ㄕㄤˋ的ㄉㄜ˙小ㄒㄧㄠˇ花ㄏㄨㄚ開ㄎㄞ了ㄌㄜ˙，
石ㄕˊ頭ㄊㄡˊ邊ㄅㄧㄢ的ㄉㄜ˙小ㄒㄧㄠˇ樹ㄕㄨˋ重ㄔㄨㄥˊ新ㄒㄧㄣ露ㄌㄡˋ出ㄔㄨ新ㄒㄧㄣ芽ㄧㄚˊ，
森ㄙㄣ林ㄌㄧㄣˊ裡ㄌㄧˇ變ㄅㄧㄢˋ得ㄉㄜ˙更ㄍㄥˋ熱ㄖㄜˋ鬧ㄋㄠˋ了ㄌㄜ˙。

作者介紹

鄭如安／是一位諮商博士，擁有中華民國諮商心理師證照

我關心兒童、喜歡兒童，長年投入兒童諮商的領域，舉凡遊戲治療、親子遊戲治療，或是透過親子互動遊戲，改善親子及家庭互動，都是我最有興趣的主題。近年，更與一群夥伴積極建構屬於自己的工作室，期待能將十幾年的實務經驗轉化成書本、繪本、媒材或影音資料，分享給父母、學校老師及心理專業人員。

過去的我自喻是一隻駱駝，一直很努力地默默學習、成長與工作。感謝大家也給了我很多學習的機會，例如我現在是美和科技大學社工系專任助理教授、高雄市諮商心理師公會理事長、社團法人高雄市生命線主任、臺灣遊戲治療學會秘書長。這些工作經驗擴展了我的視野、磨練了我的心性，我心中充滿感謝與感激。

現在的我，期許自己能像一朵向日葵，能一直向著陽光積極樂觀的學習與成長，也期待這朵向日葵可以提供蝴蝶滿滿的能量，讓採了花蜜的蝴蝶可以飛得更自由更自在。

陳玟如／國立中山大學教育研究所碩士

現職國小教師並兼任「高雄市學生輔導諮商中心」心輔人員。曾獲高雄市愛心教師、教學優良、教育部輔導工作優秀人員等獎。著有天衛出版《創意教學56變》、《快樂教學魔法書》、麗文文化出版《陪著你玩》繪本。

我是少數可以實現小時候願望的幸運者。

當老師，一直很容易快樂，孩子童真的笑容，總是吸引我，讓我變得愛笑。當了輔導老師，我才發現有一群孩子不常笑，我用愛心陪伴他們，最希望他們也和我一樣愛笑！希望笑是可以傳染的，我會一直努力。

繪者簡介

陳珏汝／快樂的兒童畫家

　　現任高雄市莊敬國小代課教師、高雄市莊敬國小課後社團指導老師。作品有麗文文化出版《陪著你玩》繪本、「家庭遊戲卡」等。

　　畫圖是生活中最開心的一件事。用圖表達心情是我和外界溝通的另一種方式，它有時比語言、文字更能傳達我的意念。揮灑彩筆讓我的生命充滿趣味，更希望我的圖畫也能讓讀者多些想像的美好。

小熊的守護天使

初版一刷 · 2012年4月

著者	鄭如安 · 陳玟如
繪者	陳珏汝
責任編輯	杜佳靜
發行人	楊曉祺
總編輯	蔡國彬
出版者	麗文文化事業股份有限公司
地址	80252高雄市苓雅區五福一路57號2樓之2
電話	07-2265267
傳真	07-2264697
網址	www.liwen.com.tw
電子信箱	liwen@liwen.com.tw
劃撥帳號	41423894
臺北分公司	23445新北市永和區秀朗路一段41號
電話	02-29229075
傳真	02-29220464
法律顧問	林廷隆律師
電話	02-29658212

行政院新聞局出版事業登記證局版台業字第5692號

ISBN 978-957-748-483-3（精裝）

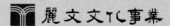

麗文文化事業

定價：300元